Dominique

# La sorcière et la princesse

**Données de catalogage avant publication (Canada)**

Major, Henriette, 1933-
   La sorcière et la princesse

(Pour lire avec toi)
Pour enfants.
ISBN 2-7625-4483-1


I. Garnotte.   II. Titre.   III. Collection.

PS8576.A46S67 1988        jC843'.54     C88-096365-4
PS9576.A46S67 1988
PZ23.M34So 1988

Conception graphique de la couverture : Martin Dufour
Illustrations : Garnotte
Montage : François Hébert

Dépôts légaux : 3e trimestre 1988
Bibliothèque nationale du Québec
Bibliothèque nationale du Canada

ISBN : 2-7625-4483-1        Imprimé au Canada

LES ÉDITIONS HÉRITAGE INC.
300, Arran, Saint-Lambert (Québec)  J4R 1K5
(514) 672-6710

# La sorcière et la princesse

*Texte*
**HENRIETTE MAJOR**

*Illustrations*
**GARNOTTE**

ÉDITIONS HÉRITAGE
MONTRÉAL

*Pour Aude*

# La bande
# de la rue Monplaisir

14 SEPTEMBRE

Avant, j'avais d'autres amis. « Tes vieux amis », comme dit ma mère. Ils sont pas vieux : ils ont le même âge que moi. Mais ces amis-là, ils sont trop loin depuis qu'on a déménagé. Je m'en suis fait des nouveaux parce que des amis, c'est important. C'est important parce qu'avec des amis, on peut faire des choses qu'on ne peut pas faire tout seul comme des pièces de théâtre, du baseball ou des courses au trésor.

Entre amis, on peut rire et faire les fous et ils ne te disent pas de te calmer comme disent toujours les parents. Aussi, on peut raconter toutes sortes de choses et ils ne trouvent pas ça niaiseux. Sans compter qu'avec un meilleur ami comme Antoine, on peut même se dire des secrets.

Lucie, Nadia, Éric et Antoine, c'est ma bande d'amis. Mais Antoine, c'est un ami un peu plus ami que les autres. C'est à cause d'Hortense. Hortense, c'est la couleuvre d'Antoine. Antoine, il me laisse jouer avec Hortense parce que ma mère, elle ne veut pas de couleuvre ni de tortue, ni de chien, ni rien. Tous les jours depuis qu'on est amis, je vais chez Antoine jouer avec Hortense.

J'avais rencontré Antoine dans le parc un jour que j'étais triste en pensant à Ti-Claude, un ami de mon ancien temps. Après, Antoine, il m'avait aidée à trouver un crapaud pour une recette de sorcière. Ça fait qu'Antoine, c'est le seul de mes amis qui sait mon secret que je suis une sorcière.

Lucie, Nadia et Éric, c'est aussi mes amis, mais ils sont juste amis, pas amis amis. Lucie et Nadia, je les ai rencontrées à l'épicerie du coin. Je me promenais avec un chariot. Ma mère m'avait envoyée chercher seulement du savon à vaisselle, ça fait que je n'avais pas besoin de chariot, mais j'aime ça pousser un chariot dans les allées. Je m'étais arrêtée de-

vant la nourriture pour chiens et chats. J'é-
tais en train de lire les étiquettes quand deux
filles sont arrivées. Elles se sont mises à se
chamailler.

— On achète du « Déli-Minou ».

— Non, du « Vita-Chat ».

— Minouche préfère le « Déli-Minou ».

— Je te dis qu'elle aime mieux le « Vita-
Chat ».

Elles se sont tournées vers moi.

— Toi, qu'est-ce que tu choisis ?

— Heu... du « Croc-Toutou ».

— Ah ! tu as un chien, toi. Nous, on a une
chatte. Comment il s'appelle, ton chien ?

J'étais un peu embêtée, mais c'était difficile de leur expliquer que Caramel, c'était le
chien que je voudrais avoir. J'ai dit :

— Il s'appelle Caramel.

— C'est un beau nom. Notre chatte, elle
s'appelle Minouche.

Finalement, elles ont acheté du Vita-Chat. Et moi, j'ai acheté du Croc-Toutou pour le chien que j'aimerais avoir, ça fait que je n'ai pas pu acheter la crème glacée que ma mère m'avais permis d'acheter avec la monnaie du savon à vaisselle.

En sortant de l'épicerie, Lucie et Nadia ont pris le même chemin que moi. C'est comme ça que j'ai découvert qu'elles habitent dans la même rue. Devant une maison grise, elles ont dit :

— On habite ici.

— Dans la même maison ?

— Mais oui ! Elle, c'est ma soeur, et moi je suis sa soeur.

— Alors, comment ça se fait que vous n'êtes pas de la même couleur ? (Nadia a la peau brune et Lucie a la peau dorée.)

Elles se sont mises à rire.

— On est adoptées. Elle, elle vient de la Corée, et moi, je viens d'Haïti.

J'étais vraiment épatée. J'ai dit :

— Moi, j'aimerais ça que mon frère, il soit jaune ou brun. Mais il est tout rose.

— Le rose, c'est aussi une belle couleur.

Alors, je leur ai parlé d'Antoine et d'Hortense. Et on a convenu de se retrouver au parc le lendemain. Quand je suis arrivée chez moi, ma mère était fâchée pour le Croc-Toutou. Elle m'a renvoyée à l'épicerie pour me faire rembourser. Mais ça ne fait rien, le Croc-Toutou m'avait permis de rencontrer Lucie et Nadia.

Le lendemain, on s'est retrouvés au parc moi, Antoine, Nadia et Lucie. On a commencé à jouer au ballon. Il y avait un garçon aux cheveux roux qui flânait aux alentours. Tout à coup, il a attrapé notre ballon, mais au lieu de nous le renvoyer, il s'est mis à jouer tout seul avec. Antoine a crié:

— Hé ! Renvoie le ballon !

L'autre a répondu :

— Venez le chercher !

Alors, je me suis précipitée. J'ai donné un coup de pied au garçon et j'ai repris le ballon. Le garçon a crié en se frottant la jambe :

— Espèce de garçon manqué !

Antoine a répliqué :

— Sophie, c'est pas un garçon manqué, c'est une fille réussie !

Et il a levé les poings comme un boxeur. Alors, l'autre garçon a dit :

— Pas la peine de t'énerver. Je m'appelle Éric. Et toi ?

Depuis cette chicane-là, Éric c'est notre ami. Lui aussi, il reste sur la rue Monplaisir. Ça fait qu'on s'appelle « La bande de la rue Monplaisir ». On a passé la fin des vacances ensemble et on a fait plein de choses. Mais maintenant, l'école a recommencé. Antoine et Nadia sont dans ma classe, mais Lucie et Éric sont dans une autre classe. Ça ne fait rien, on reste amis pareil. On a un signal pour se retrouver : il faut plisser le nez en regardant le bout et en tirant un peu la langue. Ça veut dire : On se retrouve à la prochaine récréation.

# Sophie à l'école

Cette année, je ne vais pas à mon ancienne école parce que j'ai déménagé. Je vais à ma nouvelle école. Je l'aime moins que mon ancienne parce que ma nouvelle, elle est trop grande et il y a trop de monde dedans.

Comme de raison, je n'ai pas mon ancienne maîtresse de l'an dernier, Bernadette qu'elle s'appelait. Si j'allais à mon ancienne école, je n'aurais pas Bernadette comme maîtresse non plus, vu que j'ai monté de classe, mais je pourrais lui parler pendant les récréations et aller la voir après la classe et même lui porter ses livres jusqu'à son auto. Mais je ne peux même pas l'apercevoir de loin parce que mon ancienne école est dans un autre quartier.

Cette année, ma maîtresse d'école, c'est un maître. Il s'appelle Hervé. Il a des lunettes et il est grand et maigre. Ma mère dit :

— Dis plutôt qu'il est mince : c'est plus poli.

Il est maigre pareil. Derrière ses lunettes, ses yeux sont tout flous. Ça fait que tu n'es jamais sûre si c'est bien toi qu'il regarde. Il n'a pas des beaux yeux verts comme Bernadette : il a des yeux gris sale. Il n'a pas des beaux cheveux roux et fous comme ceux de Bernadette. Il a des cheveux châtains tout raides. Hervé, il nous appelle « les amis », même si on n'est pas ses amis. Bernadette, elle nous appelait « les élèves », mais on était ses amis. Peut-être que je pourrais lui téléphoner, à Bernadette... mais je n'ai pas son numéro de téléphone. Peut-être que je pourrais lui écrire... mais j'ai peur de faire des fautes.

Ce matin, quand la cloche de l'école a sonné, je me suis mise en rang avec ma classe. Je voulais faire comprendre à Lucie et à Éric dans l'autre rangée qu'il fallait se retrouver à la récréation : alors, j'ai fait le signe de reconnaissance de la bande.

— Sophie ! Qu'est-ce que c'est que ces grimaces ? a dit Hervé. Va te placer à la queue.

J'ai essayé de lui expliquer que c'était pas des grimaces, mais il ne m'a pas laissée parler. Bernadette, elle, elle m'aurait laissée parler.

Dans la classe, Hervé nous a divisés en équipes. Antoine était dans la même équipe que moi. Chantal aussi. Elle est belle, Chantal. Elle a des beaux cheveux blonds frisés, des grands yeux bleus, la peau toute blanche et une petite bouche en coeur. Elle est toujours bien habillée, avec des robes comme il y en a dans les vitrines. À part ça, elle sait toujours les bonnes réponses, Chantal.

Hervé nous a dit :

— Vous allez vous choisir un nom pour

votre équipe. Un nom d'animal. Chacun va proposer un nom et vous allez voter.

On s'est mis à discuter. Antoine a proposé les Ouaouarons. Chantal a proposé les Écureuils et moi, les Mouffettes. Quand j'ai parlé de mouffettes, tout le monde a fait « beurk », mais moi j'ai expliqué :

— Il faut pas faire « beurk » en parlant des mouffettes. C'est beau et c'est gentil une mouffette quand on ne lui fait pas peur. Une fois, j'en ai rencontré une qui se promenait avec ses trois enfants. Je lui ai souri et elle m'a souri, et...

— Si on votait, a dit Antoine.

On a voté. Tout le monde a voté pour les Écureuils, même Antoine. Mais quand Hervé a écrit les noms des équipes au tableau, il y avait deux équipes qui s'appelaient les Écureuils. Alors, tout le monde s'est mis à parler en même temps.

— C'est nous, les Écureuils.

— Non, c'est nous parce que...

Je me suis levée et j'ai dit :

— On pourrait changer pour les Mouffettes.

Antoine a crié :

— Non ! Les Ouaouarons.

Alors, Hervé a tapé sur son bureau et il a dit en nous regardant :

— Ça suffit. Vous autres, vous allez vous appeler les Marmottes.

C'était pas juste parce que dans notre équipe, personne avait proposé les marmottes. Les Marmottes, c'est le nom de la troupe de scouts d'Hervé et nous autres on n'est pas des scouts. Et les Marmottes, c'est pas beau comme les Mouffettes ni comique comme les Écureuils. C'est même pas original comme les Ouaouarons. On s'est appelés les Marmottes pareil parce que quand Hervé tape sur son pupitre, il faut faire comme il dit. Bernadette, elle, elle nous aurait laissés nous trouver un nom tout seuls.

Après, Hervé a dit :

— Maintenant, chaque équipe va se choisir un chef.

Moi, j'aime ça être chef. Les chefs, on les écoute quand ils parlent. On les laisse dire leurs idées. Le chef, c'est lui le plus fort et le plus important. Le chef, il peut dire aux autres quoi faire. Le chef, il a toujours raison même quand il se trompe. Quand on est nommé chef, on dirait qu'on devient plus meilleur. Dans la bande de la rue Monplaisir, c'est moi le chef. Alors, quand Hervé a dit « Chaque équipe va se choisir un chef », je pensais...

Mais dans mon équipe, tout le monde a voté pour Chantal. Même Antoine. C'est pour ça qu'aujourd'hui, je ne suis pas allée jouer avec Hortense.

Après la classe, Lucie, Éric et Nadia sont venus me rejoindre. Ils voulaient attendre Antoine, mais j'ai dit :

— Qu'il s'arrange, Antoine. Qu'il s'en aille avec sa chère Chantal.

Nadia a demandé :

— Es-tu jalouse de Chantal ?

— Moi ? Jalouse ? Peuh ! Comment veux-tu que je sois jalouse de cette petite poupée ?

À mesure qu'on s'éloignait de l'école, j'étais de plus en plus enragée contre Chantal. Je me suis dit : « Sophie, c'est le temps de montrer tes talents de sorcière. »

Alors, j'ai fermé les yeux et j'ai pensé très fort : « Je veux que Chantal attrape un mal de dents. »

En rentrant à la maison, j'ai décidé d'écrire à Bernadette même si je risque de faire des fautes. J'ai sorti le beau papier à lettres de ma mère et j'ai écrit :

Chère Bernadette,

Je t'écris parce que je m'en nuit. J'aimais mieux quand ma maîtresse d'école, c'était toi et pas Hervé. Hervé, il est toujours sur mon dos. Tu ne pourrais pas changer d'école? Peut-être que tes élèves, ça leur ferait rien d'avoir Hervé comme maîtresse.

Ton élève de l'an passé
Sophie.

J'ai trouvé l'adresse de mon ancienne école, je l'ai écrite sur une enveloppe, j'ai collé un timbre dessus et je l'ai mise à la poste. J'ai hâte que Bernadette me réponde.

# Le sombre cachot

16 OCTOBRE

Hier matin, il pleuvait mais j'étais contente qu'il pleuve parce que j'étrennais des belles bottes jaunes. Ma mère voulait m'acheter les bleues mais j'ai soupiré, j'ai presque réussi à pleurer et elle m'a acheté les jaunes. Après, j'ai essayé de pleurer encore pour qu'elle m'achète un imperméable jaune pour aller avec les bottes mais ça n'a pas marché.

— Ton imperméable bleu fait encore très bien l'affaire, a dit ma mère.

Ça fait que ce matin, j'avais mis mes belles bottes jaunes mais j'avais mon vieil imperméable bleu avec les manches trop courtes et les poches décousues. Ça ne fait rien, elles sont si belles, mes bottes jaunes que quand je vais arriver à l'école, tout le monde va me regarder que je m'étais dit.

Quand je suis arrivée à l'école, Chantal était déjà dans la cour. Elle aussi, elle avait des bottes jaunes. Avec un imperméable jaune et un parapluie rouge. Tout le monde la regardait. Elle souriait et elle avait l'air en grande forme. Le mal de dents que je lui avais souhaité dans ma tête, elle ne semblait pas l'avoir : mon mauvais sort n'avait pas marché.

Dans la classe, on s'est encore mis en équipes. Les équipes, c'était pour préparer la fête de l'Halloween. Chaque équipe devait bricoler des décorations pour la classe. Nous autres, les Marmottes, c'est les fenêtres qu'on devait décorer. Tout le monde faisait des suggestions. Moi, j'ai dit :

— On devrait dessiner des monstres dans les fenêtres.

— Non, a repris Antoine, on devrait dessiner des araignées.

— Les symboles de l'Halloween, a déclaré Chantal, c'est les citrouilles et les chats noirs.

On a dessiné des citrouilles et des chats noirs. Les chats noirs de Chantal étaient très beaux, comme dans les vitrines, avec la queue en l'air. Les miens ressemblaient à des mouffettes. Mais c'étaient mes citrouilles qui étaient les plus effrayantes. On a découpé les chats noirs et les citrouilles et on les a collés dans les fenêtres. Une autre équipe avait dessiné des chats noirs et des citrouilles au tableau. Il y avait aussi des citrouilles et des chats noirs accrochés au plafond et d'autres épinglés sur les murs par les autres équipes.

Hervé a dit :

— Les citrouilles et les chats noirs, c'est bien joli, mais ce n'est pas très original.

J'étais bien d'accord avec lui. Ensuite, il a dit :

— Ce soir, cherchez des idées. Demain, chaque équipe devra préparer un sketch qu'on jouera devant la classe le jour de l'Halloween. Et, s'il vous plaît, trouvez autre chose que des chats noirs et des citrouilles...

J'ai passé le reste de la journée à chercher des idées, même que j'ai raté le test de calcul. Quand on est sortis de l'école, Antoine m'attendait. Il a dit :

— J'ai une idée pour le sketch.

— Moi aussi, que j'ai répondu.

— On va aller chez moi et on va discuter de nos idées. Tu sais, Hortense s'ennuie...

J'étais bien contente de retrouver Antoine et Hortense. Même qu'Hortense m'a donné une idée. J'ai expliqué à Antoine :

— Dans le sketch, je pourrais être une sorcière et Hortense serait mon animal de sorcière.

— Génial ! a dit Antoine. Une couleuvre, c'est bien plus drôle qu'un chat noir.

— Hervé va trouver ça original.

— Et moi, a continué Antoine, je pourrais être un vampire.

On a discuté longtemps et quand je suis sortie de chez Antoine, on avait inventé un beau sketch effrayant tout prêt pour le lendemain, avec un vampire, une sorcière, une couleuvre et un sombre cachot.

Aujourd'hui, en arrivant dans la classe, Chantal est allée montrer à Hervé un beau livre avec des beaux costumes dedans. Hervé lui a souri et l'a félicitée d'avoir trouvé ce livre à la bibliothèque. Chantal, elle me tombe de plus en plus sur les nerfs.

Quand on s'est mis en équipes pour discuter de nos sketches, Chantal s'est tout de suite mise à parler.

— J'ai une idée, qu'elle a dit : je serais une princesse. J'ai déjà choisi le costume dans mon livre. Ma mère a dit qu'elle allait me le fabriquer.

Elle nous a montré une princesse avec une belle robe bleue.

Antoine et moi, on n'était pas d'accord : dans le sketch qu'on avait préparé, il n'y avait pas de princesse, seulement une sorcière, un vampire et des monstres. Carmella et Stéphane voulaient bien être des monstres, mais pas Chantal. Elle, elle tenait à être une princesse. Alors, je me suis fâchée et j'ai crié :

— Princesse de mes fesses !

Hervé a entendu et il m'a dit :

— Sophie, va un peu réfléchir dans le corridor.

Je suis sortie. J'étais en train de me dire que Bernadette, elle ne m'aurait jamais mise à la porte de la classe quand j'ai vu la directrice qui débouchait de l'escalier à l'autre bout du corridor. Comme elle s'en venait de mon côté, j'ai filé par l'autre escalier. Ce n'est pas que j'aie peur d'elle, mais la directrice est sûrement une sorcière elle aussi. C'est une grande et grosse sorcière avec des cheveux noirs et des yeux noirs, un chignon et des talons hauts et moi, je suis seulement une petite sorcière de rien. Alors, j'aimais autant ne pas la rencontrer, surtout toute seule à la porte de la classe quand les autres sont en dedans. J'ai descendu au rez-de-chaussée. J'ai aperçu le concierge qui balayait le gymnase. Je me suis cachée derrière la porte parce que le concierge, il n'est pas commode. Il a toujours sa casquette baissée sur les yeux, je me demande s'il dort avec, et tout ce qu'il sait dire c'est : Enlevez-vous de mon chemin, les enfants !

Quand il a eu fini de balayer, M. Gingras a ouvert une porte au fond de la salle et il est disparu derrière. Cette porte-là, je l'avais toujours vue fermée à clé et je ne savais pas où elle menait. J'ai décidé de suivre M. Gingras pour voir. Derrière la porte, il y avait l'escalier de la cave. Je l'ai descendu sur la pointe des pieds. M. Gingras avait ouvert une autre porte tout au fond : c'était la chaufferie. Ça ressemblait tout à fait à un sombre cachot comme dans les histoires. Je suis repartie en vitesse. En passant, j'ai pris la clé sur la porte donnant sur le gymnase et je l'ai glissée dans ma poche : on ne sait jamais... La cloche de la récréation sonnait, je me suis mêlée au reste de la classe qui descendait.

Hervé m'a dit :

— Où étais-tu Sophie ?

— J'en ai profité pour aller à la toilette...

Hervé a soupiré. J'ai couru retrouver Antoine.

— Qu'est-ce que vous avez décidé pour le sketch ?

— Bien... Chantal sera la princesse et...

— Je le savais ! Espèce de... de suiveux !

— Attends ! Le vampire et la sorcière la feraient prisonnière. Ils l'enfermeraient dans un sombre cachot et...

Là, je me suis mise à sourire parce que ça me plaisait bien que Chantal soit prisonnière du vilain vampire et de la méchante sorcière. Ça m'a donné une idée...

# Les bruits mystérieux

23 OCTOBRE

Hier, j'ai commencé mon costume de sorcière. Pour ma robe, ma mère m'a donné son vieil imperméable en plastique. Il n'est pas noir, il est bleu marine, mais ça fait pareil. Et puis, je me suis fabriqué un chapeau pointu en carton noir. Après, j'ai demandé à ma mère si je pouvais essayer son maquillage. Elle a fini par dire oui.

Elle a un plein tiroir de tubes et de petits pots, ma mère. D'abord, j'ai trouvé un pot où c'était écrit « Crème de beauté ». J'ai commencé par essayer ça; c'était blanc et gras comme de la crème fouettée, mais il fallait en mettre sur la figure, pas la manger. J'en ai mis une bonne couche, j'ai attendu cinq minutes puis je l'ai essuyée avec un papier mouchoir comme c'est marqué sur le pot. Après, j'ai fermé les yeux, j'ai compté jusqu'à dix pour me faire une surprise et je me suis regardée dans le miroir. J'avais le même visage qu'avant : j'avais toujours mes taches de rousseur et je ne ressemblais pas du tout à Chantal. Je pense que ma mère, elle s'est fait avoir avec sa « Crème de beauté ».

Alors, j'ai commencé mon vrai maquillage de sorcière. J'ai mis du fard vert sur mes joues, du rouge autour de mes yeux et du bleu sur mes lèvres. J'ai mis du crayon noir sur mes dents et je me suis dessiné quelques rides. Là, mon petit frère est entré dans la chambre et j'ai fait « Ha a a... ». Et il s'est mis à hurler. Ma mère est venue et elle a dit :

— Sophie, tu exagères. Tu vas encore lui donner des cauchemars. Va te laver tout de suite.

Et elle a consolé mon petit frère.

Dimanche, j'étais chez mon père vu que mon père et ma mère sont séparés et que je passe les fins de semaine chez mon père. D'habitude, le dimanche, c'est souvent « plate » parce que chez mon père je n'ai pas toutes mes affaires comme chez ma mère et si on ne sort pas, on ne sait pas quoi faire. Au déjeuner, j'ai commencé à raconter à mon père le sketch de l'Halloween que mon équipe a inventé. Mon père a eu une idée géniale. Il a dit :

— On pourrait enregistrer des bruits effrayants pour la scène du sombre cachot.

Mon père, il a un petit magnétophone qu'on peut porter sur l'épaule. Il voulait bien me le prêter pour mon sketch. Alors, on a passé la journée à enregistrer des bruits épouvantables. On a froissé du papier près du micro pour faire des craquements. On a traîné un bout de chaîne par terre. On a fait des cris de fantômes.

Moi je faisais :

— Ou ou ou ou...

Mon père faisait :

— Ah ! Ah ! Ah ! Ah ! ââââ...

Carole, l'amie de mon père, faisait :

— Hi ! Hi ! Hi ! Hi ! iii...

Et mon petit frère faisait :

— Grrrr...

On s'est amusés comme des fous.

D'habitude, moi et mon petit frère, on revient chez ma mère le dimanche soir. Mais ce dimanche-là, j'ai dit à mon père en l'embrassant dans le cou :

— Garde-moi jusqu'à demain matin.

— Mais ce n'est pas possible. Tu as ton école demain... C'est assez loin d'ici.

— Tu viendras me conduire en auto.

Souvent, Chantal arrive à l'école en auto; son père vient la conduire dans une belle grosse voiture noire. Mon père à moi, il a une petite voiture jaune, mais ça ne fait rien, je voulais que tout le monde à l'école voie mon père m'amener en auto.

À force de le supplier, il a dit oui. Ça fait que le lendemain, on est partis très tôt; j'avais mis le magnétophone dans mon sac d'école. J'étais de bonne humeur parce que je m'étais bien amusée en fin de semaine. Mon père, lui, il était de moins bonne humeur parce qu'il avait dû se lever plus tôt que d'habitude. Une rue avant mon école, mon père a arrêté la voiture et a dit :

— Descends ici. Tu es tout près et ça m'évitera un détour pour me rendre à mon bureau.

Ça fait que personne n'a vu que mon père était venu me conduire en auto.

Quand je suis arrivée dans la cour de l'école, j'ai vu Chantal qui arrivait en auto avec son père. J'ai souhaité très fort dans ma tête que Chantal trébuche et tombe en sortant de la voiture, mais elle est descendue gracieusement comme une ballerine. Je pense que mes mauvais sorts ne sont pas assez mauvais.

# Le sketch

Aujourd'hui, c'est la veille de l'Halloween. Cette année, l'Halloween tombe un samedi, ça fait qu'à l'école on fête le vendredi. À l'école, tout le monde était excité : on pensait rien qu'à nos sketches.

Hervé a dit :

— On jouera les sketches cet après-midi, et seulement si vous avez bien travaillé.

Comme si on pouvait travailler quand on a la tête pleine de monstres et de vampires ! La matinée a fini par passer. En retournant à l'école l'après-midi, je suis arrêtée chez Antoine pour rassembler les accessoires pour le sketch. Antoine et moi, on en avait plein les bras avec nos costumes, l'enregistreuse et quelques autres petites choses. Chantal, elle, elle avait seulement un grand sac rose avec sa robe bleue dedans.

On a tiré au sort pour savoir quelle équipe allait jouer en premier. C'est notre équipe qui a tiré le numéro 1, ça fait que c'était à nous de commencer. On est allés se déguiser dans le corridor. Je n'ai pas eu la chance de me maquiller comme je l'avais fait à la maison : j'ai juste eu le temps de mettre du rouge autour de mes yeux et du bleu sur mes lèvres et c'était déjà le moment de faire notre entrée. D'abord, la princesse se promène dans son jardin (à côté du bureau d'Hervé).

— Je suis la princesse Ariane. J'ai un château, des belles robes, des bijoux, un beau jardin, mais je m'ennuie...

Arrive Antoine. Il a une cape de velours et des moustaches. Il a ses dents de vampire dans sa poche.

— Princesse Ariane, je suis le prince Vaillant. Voulez-vous venir vous promener avec moi dans la forêt ?

— Oh ! oui, prince Vaillant !

Ils vont se promener dans la forêt (de l'autre côté du bureau d'Hervé). Là Antoine met ses dents de vampire et se jette sur Chantal en criant :

— Ah ! Ah ! Je ne suis pas le prince Vaillant, je suis le vilain vampire.

Il fait semblant de la mordre dans le cou tout en laissant couler un peu de ketchup qu'on avait apporté dans un petit pot.

Chantal se met à crier, comme dans les films à la télévision :

— Au secours ! À moi !

Là, j'arrive en disant :

— Je suis Rita la sorcière. Je vais t'amener dans un sombre cachot. Comme ça, le vampire t'aura sous la main quand il aura soif de sang.

J'amène la princesse dans le sombre cachot (qu'on avait fait avec quelques chaises dans un coin). Là, je sors Hortense (que j'avais cachée dans ma poche) et je la passe sous le nez de Chantal en disant :

— Voici le signe de ma puissance ! (J'avais lu ça dans un livre.)

Antoine et moi, on n'avait pas prévenu Chantal à propos de la couleuvre : on voulait lui faire une surprise... Pour être surprise, elle l'a été. Elle est devenue toute blanche et elle est tombée dans les pommes (pour vrai). Elle avait l'air vraiment malade avec son cou et sa robe pleins de ketchup. Hervé s'est précipité pour la ramasser. Il m'a crié :

— Sophie ! tu n'as pas honte ? Va-t'en tout de suite chez la directrice !

Je suis sortie avec Hortense. Je me sentais un peu mal : je n'aurais jamais cru qu'une pauvre petite couleuvre aurait cet effet-là. C'était peut-être aussi à cause des mauvais sorts... D'un autre côté, c'était tant pis pour Chantal : c'est elle qui avait voulu faire la princesse. Mais plus j'approchais du bureau de la directrice, moins je me sentais brave. J'avais beau être déguisée en sorcière, la directrice, elle, c'est sûrement la reine des sorcières. J'aimais autant ne pas penser à ce qui allait m'arriver.

Mais quand je suis entrée dans le bureau, il était vide; la directrice n'était pas là et la secrétaire non plus. J'ai poussé un soupir de soulagement. Tout à coup, j'ai aperçu la console et le micro que la directrice utilise quand elle veut parler à toutes les classes à la fois. Je me suis dit :

— Tant qu'à être punie...

J'avais le magnétophone sous ma robe de sorcière; je n'avais pas eu le temps de faire jouer la cassette des bruits pour la scène du sombre cachot. J'ai posé le magnétophone devant le micro, j'ai mis le volume au plus fort et j'ai fait démarrer la cassette. Alors dans toute l'école, on a entendu :

— Ou ou ou ou...

— Ah ! Ah ! Ah ! Ah ! âââ...

— Hi ! Hi ! Hi ! Hi ! iii...

— Grrrrr...

Pendant que dans les classes on commençait à s'agiter, moi, je descendais l'escalier à toute vitesse, je traversais le gymnase, j'ouvrais la porte de la cave avec ma clé, je me précipitais dans la chaufferie et je claquais cette deuxième porte.

Là, j'ai ri pendant cinq minutes, sûre que personne ne pouvait m'entendre. Après, j'ai voulu entrouvrir la porte de la chaufferie mais là, je n'avais plus envie de rigoler parce que cette porte, je n'arrivais plus à l'ouvrir. J'ai poussé et tiré de toutes mes forces : rien à faire. J'ai frappé, crié, donné des coups de pied, personne ne m'entendait. C'était la sorcière et pas la princesse qui était enfermée dans le sombre cachot (un vrai). Je ne riais plus, même que je pleurais. J'ai fini par m'asseoir dans un coin. J'avais froid et j'avais faim et j'étais toute seule. Mais non, je n'étais pas toute seule : j'avais Hortense. J'ai sorti Hortense de ma poche et je l'ai flattée. Après, je me suis endormie.

# Sophie perdue et retrouvée

30 OCTOBRE (fin de journée)

C'est Antoine qui m'a raconté au téléphone ce qui se passait pendant que j'étais enfermée dans le sombre cachot. Quand les bruits mystérieux ont commencé, toutes les maîtresses et tous les maîtres de l'école sont sortis dans les corridors. Tous les enfants se sont levés pour les suivre, même Chantal qui était remise de ses émotions. Ça se poussait, ça se bousculait, il y en a qui criaient. La directrice s'est précipitée dans son bureau. Elle a arrêté le magnétophone et elle a dit au micro :

— Retournez dans vos classes. Calmez-vous. Ces bruits, c'était un enregistrement, un mauvais tour que quelqu'un nous a joué. Retournez dans vos classes. Il y aura réunion des enseignants pendant la récréation.

Hervé a fini par rassembler sa classe. Quand tout le monde a été à sa place, c'est là qu'il a pensé à moi. Il a dit à Chantal de surveiller la classe et il est allé voir la directrice. La directrice est venue dans la classe; elle avait le magnétophone et elle a demandé :

— À qui appartient ce magnétophone ?

Personne n'a répondu. Ensuite, elle a demandé :

— Est-ce que quelqu'un sait où est Sophie ?

Personne n'a répondu non plus. La directrice a parlé tout bas avec Hervé et elle est partie en claquant ses talons. Après, Hervé a donné aux élèves plein d'exercices à faire. Toute l'équipe des Marmottes a été appelée au bureau de la directrice. Elle a questionné chacun à propos du magnétophone mais personne n'a rien dit parce que personne ne savait rien. Seulement Antoine était au courant et Antoine, c'est pas un « rapporteur ». Alors la directrice a demandé :

— Et le serpent ? D'où sortait ce serpent ?
Antoine a dit :

— C'est pas un serpent, c'est une couleu-vre.

Là, il avait trop parlé, mais il n'avait pas fait exprès. La directrice a vite su tout ce qu'elle voulait savoir à propos d'Hortense. Antoine s'est mis à pleurer parce qu'il en avait trop dit et parce qu'il était inquiet au sujet d'Hortense. Quand la classe a fini, Antoine est allé au bureau de la directrice pour voir si j'y étais. J'y étais pas mais il y avait un policier dans le bureau. Là, Antoine était encore plus inquiet.

C'est M. Gingras qui m'a trouvée quand il est venu régler le chauffage. Il n'a pas dit : Enlevez-vous de là, les enfants ! Non, il a dit :

— Ma pauvre petite fille ! Tu dois être bien malade !

Comme j'avais pleuré, mon maquillage avait coulé et j'étais barbouillée de rouge et de bleu. C'est pour ça que M. Gingras me croyait malade.

Il m'a prise dans ses bras et il m'a portée dans l'escalier de la cave et jusqu'au bureau de la directrice. Dans le bureau, il y avait un policier qui téléphonait, il y avait la directrice avec son chignon tout défait et il y avait mes parents, ensemble ! Ils m'ont embrassée chacun leur tour.

— Sophie !

— Où étais-tu ?

— Comment tu vas ?

J'ai dit :

— Je vais bien mais j'ai faim.

Ma mère a sorti un mouchoir et elle a essayé de me nettoyer un peu la figure.

— Cette enfant est perturbée, a dit la directrice.

Je n'étais pas d'accord; je ne suis pas « père turbée », même si mon père ne vit pas avec nous. Je voulais expliquer ça à la directrice, mais elle a repris :

— Comment as-tu pu entrer dans la cave, la porte est toujours fermée à clé ?

M. Gingras a répondu à ma place :

— J'ai dû oublier la clé sur la porte.

Après, le policier est parti et la directrice a demandé :

— Le magnétophone, c'est à toi ?

— Non, c'est à mon père : c'est lui qui a eu l'idée des bruits effrayants.

La directrice l'a regardé d'un air sévère.

Mon père a bégayé :

— C'est-à-dire que...

— Et le serpent, a repris la directrice, qu'est-ce que tu as fait du serpent ?

J'ai crié :

— Hortense !

Et je suis partie en courant. Tout le monde m'a suivie à la cave. On a fouillé partout mais on n'a pas trouvé Hortense. Au bout d'un moment, la directrice a soupiré :

— Il est déjà six heures; je suggère que chacun rentre chez soi. M. Gingras pourra continuer les recherches lundi.

Moi, j'étais très malheureuse à cause d'Hortense qui allait rester toute seule dans le sombre cachot pendant deux jours.

— Qu'est-ce que je vais dire à Antoine ? que j'ai dit.

— Ça, c'est ton problème, a répondu la directrice.

À la maison, j'ai vite téléphoné à Antoine pour lui parler d'Hortense. Antoine avait le coeur gros d'avoir perdu sa couleuvre. Moi aussi, j'avais de la peine en pensant à Hortense; j'ai dit à Antoine :

— Tout ça, c'est à cause de cette peureuse de Chantal. Si elle n'était pas tombée dans les pommes, Hervé ne m'aurait pas mise à la porte de la classe et...

Mais Antoine m'a coupé la parole :

— Non. Tout ça, c'est ta faute. Toi et tes idées stupides !...

— Hé ! Quand j'ai proposé d'utiliser Hortense dans notre sketch, tu as dit que c'était une idée géniale !

Là, Antoine ne savait plus quoi dire.

Alors j'en ai profité pour ajouter :

— Aiguise bien tes dents de vampire pour passer aux portes demain. Moi, je vais me faire un maquillage de sorcière super-effrayant. À nous deux, on va être les plus épouvantables de toute la rue. Salut !

# L'Halloween

31 OCTOBRE

Aujourd'hui, c'est l'Halloween pour vrai. C'est samedi mais je suis restée chez ma mère parce que je voulais passer aux portes avec mes amis. J'ai déjà essayé mon costume de sorcière deux fois depuis ce matin. J'ai attendu que ma mère se réveille pour lui emprunter encore son maquillage, mais le samedi elle se lève tard. Enfin, elle a fini par se montrer et je lui ai dit :

— J'ai besoin de tes produits de beauté tout de suite parce que je voudrais faire des essais de maquillage avant de passer aux portes.

Ma mère a répondu :

— Sophie, tu ne passeras pas aux portes ce soir. J'en ai discuté avec ton père. Ce sera ta punition pour le branle-bas que tu as causé à l'école.

C'est comme si j'avais reçu un coup de marteau sur la tête. J'ai bégayé :

— Mais, mais, l'Halloween, ça arrive rien qu'une fois par année. Mon costume est tout prêt. Tous mes amis comptent sur moi... Tu ne peux pas m'empêcher de passer aux portes !

— Écoute : tu as mis l'école sens dessus dessous, tu as dérangé ta directrice, ton maître, tes parents. Ça mérite une bonne punition, tu ne crois pas ?

Je me suis mise à pleurer.

— Prive-moi de dessert ou de télévision si tu veux, pas de passer aux portes le soir de l'Halloween !

— Le dessert, tu n'en manges presque jamais et tu aimes mieux lire que regarder la télévision. Tu mérites une punition sérieuse et celle que je t'impose est en rapport avec tes bêtises. Et je ne veux plus en discuter.

Quand elle parle sur ce ton-là, ma mère, c'est qu'il n'y a rien à faire. J'étais tellement triste que mon petit frère est venu me dire :

— Sophie, je vais te donner la moitié des bonbons que je vais ramasser ce soir...

— Je n'en veux pas de tes vieux bonbons ! Je veux qu'on me fiche la paix ! que j'ai répondu.

Mon petit frère s'est mis à pleurer à son tour et ma mère l'a amené dans sa chambre pour préparer son costume de lutin, parce que lui, il va passer aux portes, le chanceux !

J'étais la plus malheureuse fille de toute la terre. J'aurais voulu me changer en crocodile pour avaler tout rond ma mère et mon petit frère, ou bien en vraie sorcière pour m'envoler sur un balai et jeter des mauvais sorts à tout le monde. J'ai téléphoné à Antoine pour lui annoncer que je ne pourrais pas passer aux portes avec le reste de la bande. Je pensais qu'il serait désappointé, mais il m'a répondu :

— Moi non plus, je ne vais pas avec le reste de la bande. J'accompagne Chantal; elle est déguisée en princesse et moi en prince Vaillant.

— Quoi ! Mais tu n'es pas un vrai prince Vaillant ! Tu es un vrai vilain vampire avec des dents en plastique !

— Quand je ne mets pas mes dents de vampire en plastique, je suis un prince, pas un vampire. Et Chantal, elle aime mieux que je sois un prince.

J'étais tellement fâchée que j'ai vu rouge. J'ai fermé la ligne très fort. J'espère qu'Antoine, il a eu mal à l'oreille. Ne pas passer aux portes le soir de l'Halloween, ça me faisait de la peine, mais savoir qu'Antoine allait accompagner Chantal, ça me rendait enragée.

Dans l'après-midi, ma mère m'a dit :

— Va prendre l'air, Sophie, ça te fera du
bien. Tu ne vas pas rester toute la journée à
bouder dans la maison, quand même !

Je suis sortie mais je ne pouvais pas aller
voir Hortense, vu qu'on ne l'avait pas retrou-
vée la veille dans la cave de l'école et je n'avais
envie de voir personne d'autre. J'ai traversé
le parc sans trop savoir où j'allais. De l'autre
côté du parc, il y a la rue des Érables : c'est
une belle rue avec des belles maisons. C'est là
que Chantal habite, juste au coin. En
contournant sa maison, j'ai jeté un coup
d'oeil dans la cour et j'ai aperçu la robe bleue,
la fameuse robe de princesse qui séchait sur la
corde à linge.

Bien sûr, que je me suis dit, sa mère a dû laver la robe parce qu'elle était pleine de sang, je veux dire, de ketchup.

Et là, j'ai eu une idée... J'ai ouvert la barrière, je me suis avancée sur la pointe des pieds. Il n'y avait personne en vue. J'ai tiré

sur la robe. Les épingles à linge ont sauté : la robe m'est restée dans les mains. Sans plus réfléchir, je l'ai roulée en boule, je l'ai mise sous mon bras et j'ai couru jusque chez moi. Heureusement, ma mère était sortie faire des courses avec mon petit frère. J'ai caché la robe de princesse au fond de ma garde-robe en dessous de mon vieux jean que je ne veux pas que ma mère jette, même s'il est plein de trous.

Après, je me suis assise à ma table et j'ai écrit un message :

Chantal,

Ta robe de princesse, je l'ai brûlée et avec les cendres, j'ai fabriqué un xxonguent qui donne des boutons. Je ne passerai pas aux portes avec toi parce que j'aime mieux les sorcières que les princesses.

Le vilain vampire

J'ai recopié le message de la main gauche pour qu'on ne puisse pas reconnaître mon écriture. Puis j'ai couru jusqu'à la maison de Chantal et j'ai glissé le papier dans la boîte aux lettres. Je suis rentrée chez nous juste comme ma mère revenait.

À l'heure du souper, le téléphone a sonné : c'était Antoine.

— Sophie, qu'il a dit, c'est épouvantable ! La mère de Chantal a téléphoné à ma mère. Elle m'accuse d'avoir volé la robe de princesse !

J'ai répondu d'un ton innocent :

— Quelle robe de princesse ?

— Celle de Chantal, voyons ! Les parents sont en train de fouiller ma chambre.

Là, j'ai eu peur. S'ils fouillaient la chambre d'Antoine, ils auraient peut-être l'idée de fouiller la mienne...

Antoine continuait :

— Il paraît qu'ils ont trouvé un message signé « Le vilain vampire ». Pourtant, je n'ai écrit aucun message... Qu'est-ce que je vais faire ? Et Chantal, elle n'a plus de déguisement pour passer aux portes...

— Tant pis pour elle ! que j'ai répondu. Elle n'avait qu'à ne pas mettre sa belle robe de princesse sur la corde à linge !

Il y a eu un grand silence, puis Antoine a dit :

— Comment sais-tu que la robe était sur la corde à linge ?

J'ai bafouillé :

— Heu !... Je l'ai deviné. En tout cas, débrouillez-vous tout seuls. Ce n'est pas mon affaire.

J'ai fermé la ligne, mais je n'étais pas tranquille. D'après Antoine, on l'accusait d'avoir « volé » la robe. Si on la trouvait chez moi, on croirait que je l'avais volée. Moi, je n'avais pas voulu voler parce que c'est seulement les voleurs qui volent et je ne suis pas une voleuse. Si j'avais pris la robe, c'était seulement pour rire, pour jouer un bon tour. Mais pour ne pas être une voleuse, il fallait que je trouve un moyen de rendre la robe à Chantal.

Pendant ce temps-là, mon petit frère avait eu le temps de se déguiser et il était parti passer aux portes avec ma mère parce qu'il est trop petit pour passer tout seul. Ma mère avait préparé un grand plat de bonbons près de la porte.

— Toi, tu recevras les « Halloweens », avait dit ma mère, et tu leur donneras des bonbons.

C'était moins drôle que de passer aux portes, mais c'était moins « plate » que de bouder dans ma chambre. Les « Halloweens » ont commencé à défiler. Certains avaient des costumes achetés tout faits, mais j'aimais mieux ceux qui s'étaient fabriqué des déguisements eux-mêmes. Tout à coup, je vois arriver le vilain vampire avec une affreuse sorcière qui avait un masque avec une verrue dessus. J'ai tout de suite reconnu le vampire et j'ai crié :

— C'est toi, Antoine !

Mais qui était la sorcière ? Sans lui donner le temps de se retourner, j'ai soulevé son masque. C'était Chantal !

Alors la sorcière, je veux dire Chantal, elle a remis son masque et elle m'a donné un papier. La sorcière et le vampire n'ont même pas pris mes bonbons. Ils sont partis en ricanant.

J'ai fermé la porte et j'ai déplié le papier. C'était écrit :

A Rita la sorcière,

Tu peux garder

la robe de princesse,

c'est bien plus drôle

d'être une sorcière.

Mais attention

aux mauvais sorts !

Atir la sorcière.

D'un côté, j'étais soulagée de ne pas être une voleuse vu que Chantal me donnait la robe de princesse. D'un autre côté, je n'étais pas rassurée à cause des mauvais sorts. Et puis, j'avais de la peine parce que j'avais perdu deux amis. Après, je n'ai plus ouvert la porte aux « Halloweens »; je suis allée me coucher. J'ai rêvé que je mettais Chantal dans une grande casserole pleine de serpents et de crapauds.

# La princesse sorcière

2 NOVEMBRE (début de journée)

Le lundi matin, tout le monde était autour de moi dans la cour de l'école.

— Où étais-tu, vendredi ?

— Comment as-tu fait tous ces bruits ?

— Pourquoi on a fait venir la police ?

Il a fallu que je raconte au moins dix fois l'histoire du sombre cachot en l'embellissant un peu; mais je n'ai pas raconté que je n'avais pas passé aux portes le soir de l'Halloween, ni l'histoire de la robe de princesse.

Antoine ne tenait pas en place tellement il avait hâte d'avoir des nouvelles d'Hortense.

— Qu'est-ce qui est arrivé à ma couleuvre ? a-t-il demandé à Hervé dès qu'on est entrés en classe.

— On ne sait toujours pas où elle est, a répondu Hervé.

Quand elle a réalisé qu'Hortense était encore en liberté dans l'école, Chantal a piqué une crise et elle a dit :

— Je veux retourner chez moi !

Mais Antoine lui a répliqué en la regardant dans les yeux :

— Une couleuvre, c'est pas méchant : c'est même très gentil. Et puis, Hortense, elle est dans la cave, alors tu n'as pas besoin de t'énerver.

Moi, j'ai ajouté :

— Tu sais, les vraies sorcières n'ont pas peur des couleuvres.

Là, Chantal s'est calmée.

J'ai demandé à Hervé s'il voulait que je l'aide à chercher Hortense, mais il m'a dit que le concierge s'en occupait parce que la directrice ne voulait surtout pas voir d'enfants dans le sous-sol.

En classe, Hervé n'a pas du tout parlé de la fête de l'Halloween. J'étais contente, je croyais qu'il avait oublié le branle-bas du vendredi. Mais quand la cloche de la récréation a sonné, il m'a fait signe de rester à ma place. Une fois les autres sortis, il m'a dit :

— Sophie, ne crois-tu pas que tu mérites une bonne punition pour tes exploits de vendredi dernier ?

J'ai soupiré :

— Pourquoi tout le monde dit une « bonne punition » ? Une punition, c'est pas bon parce que ça ne fait pas plaisir.

— Tu as raison, a répondu Hervé. Une punition, ça ne fait pas plaisir, mais c'est nécessaire quand on s'est mal conduit. Alors, tu seras privée de récréation. Pendant que les autres s'amuseront, tu copieras cent fois : « Je ne jouerai plus de mauvais tours ».

J'ai encore soupiré mais je n'ai rien dit parce que quand on est puni, il faut avaler sa pilule comme dit ma mère. Quand il a vu que je m'installais pour travailler, Hervé est allé prendre son café et il m'a laissée toute seule. Bernadette, elle ne m'aurait pas donné une punition aussi stupide. Ça m'a rappelé que Bernadette, elle n'avait pas répondu à ma lettre.

Je me suis mise à écrire. J'avais trouvé un truc. J'écrivais sur toute une page :

Je ne

Je ne

Je ne. Après, j'écrivais : jouerai

jouerai

jouerai...

Je ne sais pas si ça allait plus vite, mais c'était moins « plate ».

Tout en écrivant, je pensais à Hortense. J'étais sûre que M. Gingras ne la trouverait pas. Il ne voit pas bien clair, M. Gingras : il laisse toujours des moutons de poussière dans les coins. Je pensais à Chantal et à Antoine aussi. Je me disais : « Si elle était restée princesse, peut-être qu'Antoine l'aurait trouvée ennuyante à la longue. Mais maintenant qu'elle est sorcière... Peut-être aussi qu'elle n'est pas sorcière pour vrai... »

Tout à coup, j'ai eu une idée. J'ai pris un papier et j'ai écrit de ma main gauche :

*Chère Atir,*
*Si tu es une vraie sorcière, tu vas aller chercher Hortense qui est perdue dans le sombre cachot.*
*Une amie d'Hortense.*

J'avais gardé la clé de la porte de la cave parce que personne ne me l'avait demandée. J'ai enveloppé la clé dans le message et j'ai mis le papier dans le pupitre de Chantal.

Après la récréation, je la surveillais du coin de l'oeil. Quand on a sorti nos livres de mathématiques, elle a trouvé le message. Elle l'a lu et elle est devenue toute rouge. Puis, elle a demandé la permission d'aller à la salle de toilette.

« Oh ! non ! que je me suis dit. Elle y va... Je n'aurais jamais cru ! »

Chantal est sortie. Une demi-heure plus tard, M. Gingras est entré dans la classe. Il tenait Chantal par le bras et Chantal, elle tenait Hortense par la queue.

M. Gingras a dit à Hervé :

— Surveillez donc vos enfants ! J'en ai assez de les ramasser dans le sous-sol. Ils n'ont pas d'affaire là ! Pourtant, la porte était bien fermée à clé cette fois-ci !

Et il est parti en claquant la porte. Antoine s'est précipité et a ramassé sa couleuvre.

— Pauvre Hortense, tu dois avoir soif ! Hervé, est-ce que je peux aller chercher de l'eau pour Hortense ?

Je pensais qu'Hervé allait se fâcher, mais non ! Il a permis à Antoine de sortir. Pendant qu'Antoine allait chercher de l'eau, Hervé a trouvé une boîte pour Hortense. Puis, il a demandé à Chantal :

— Comment as-tu fait pour ouvrir la porte du sous-sol ?

Là, je me suis dit : « Ça y est ! Elle va parler de la clé ! »

Mais Chantal a baissé la tête et elle n'a rien dit. Antoine est revenu et Hervé a laissé Chantal pour s'occuper d'Hortense. Après qu'Hortense eut été bien installée, Hervé a demandé à Antoine de passer dans les allées pour que tout le monde puisse la caresser.

Quand elle m'a vue, je suis sûre qu'elle m'a reconnue parce que ses petits yeux sont devenus tout brillants. J'ai dit :

— Hortense, tu dois avoir faim.

Mais tout ce que j'avais à lui offrir, c'était de la gomme baloune et Antoine a dit que c'était pas bon pour elle. Il a ajouté :

— Je la nourrirai à la maison; une couleuvre peut rester huit jours sans manger.

Après, Hervé a sorti un livre avec plein d'images sur les serpents. Hervé, il en sait presque autant qu'Antoine sur ces bêtes-là. Il nous a appris que « reptile », c'est un autre mot pour les bibittes qui rampent.

L'avant-midi avait passé vite, bien plus vite que si on avait fait des mathématiques. Quand on est sortis, Chantal m'a poussée en disant :

— Salut, Rita !

J'ai répondu :

— Salut, Atir !

Et tout à coup, j'ai compris que « Atir », c'est Rita à l'envers ! Ça m'a donné un coup... C'est peut-être pour ça que mes mauvais sorts ne marchent pas avec Chantal !

# Le mauvais sort

2 NOVEMBRE (fin de journée)

En sortant de l'école, j'ai voulu rejoindre Antoine pour aller jouer avec Hortense, mais Antoine, il est parti avec Chantal. Ça fait que je suis rentrée toute seule. Dans ma tête, je me disais : « Je déteste Chantal. Je déteste Chantal. »

Rendue chez moi, j'ai décidé de prendre les grands moyens. Après tout, je suis une sorcière; je peux fabriquer des mauvais sorts encore plus mauvais que ceux que j'avais inventés jusque-là. J'ai pris un papier et un crayon et j'ai écrit encore de la main gauche pour ne pas me faire reconnaître :

Chantal,
attrape la gale.

Puis, j'ai craché par terre et j'ai jeté le papier par-dessus mon épaule gauche. Ensuite, j'ai ramassé le papier et je l'ai plié en quatre.

Je me suis dit : « Demain, je glisserai ce mauvais sort sous ses livres dans son pupitre. »

Tout à coup, on a sonné à la porte. C'était Antoine avec Chantal. Antoine, il a dit :

— Salut ! On peut entrer ? On a quelque chose à te dire. C'est à propos de Chantal. Elle voudrait faire partie de notre bande...

— Chantal ! Mais elle ne peut pas entrer dans « La bande de la rue Monplaisir » ! Elle reste sur la rue des Érables !

— On pourrait changer le nom de la bande...

J'ai dit :

— Ah, non ! On ne va pas changer le nom de la bande pour une espèce de princesse qui se prend pour une sorcière !

— Et toi, a repris Antoine, qu'est-ce que tu es ? Une espèce de sorcière qui se prend pour un chef ? En tout cas, les autres de la bande, ils sont d'accord pour que Chantal en fasse partie.

— C'est moi le chef ! que j'ai crié.

— Le chef de quoi ? a repris Antoine. Parce que pour être chef, il faut des personnes qui disent que tu es leur chef. Autrement, tu es le chef de rien.

Là, Antoine, il avait raison. Quand on est le chef de rien, c'est comme si on n'était pas chef.

— Alors, si tu n'es pas d'accord pour Chantal, nous, on va former une autre bande, a ajouté Antoine.

Ça, c'était trop fort ! Je ne m'étais encore jamais battue avec Antoine mais là, j'avais bien envie de lui sauter dessus.

Mais avant que j'aie eu le temps de me décider, mon petit frère est arrivé. Il tenait un papier à la main.

— Regarde, Sophie, qu'il a dit : j'ai fait ton portrait !

J'allais admirer son bonhomme, quand je me suis aperçue qu'il l'avait dessiné à l'endos de mon mauvais sort ! Je lui ai arraché le papier en criant :

— Espèce de petit démon ! Tu as encore joué dans mes affaires !

Bertrand s'est mis à pleurer. Il n'était pas allé à la maternelle ce jour-là parce qu'il était malade. Il restait là, la bouche ouverte, rouge comme une tomate avec son nez qui coulait. Il était dégoûtant. Mais Chantal l'a pris dans ses bras en disant :

— Il est mignon. Tu en as de la chance d'avoir un frère !

Elle s'est mise à lui faire des chatouilles et Bertrand s'est consolé.

Moi, la plupart du temps, je trouve mon frère pas mal embêtant. Mais c'est mon frère à moi et je ne vois pas pourquoi une autre fille lui ferait des chatouilles. J'ai dit en le tirant par les jambes :

— Laisse mon frère tranquille !

Il s'est remis à brailler. Ça ne m'a pas surprise parce que mon frère, il braille tout le temps, surtout quand je le bouscule. Mais ce qui m'a étonnée, c'est que Chantal avait de grosses larmes sur les joues elle aussi.

— Si j'avais la chance d'avoir un frère, je serais bien plus gentille avec lui. Moi, je suis toute seule. Je n'ai jamais personne avec qui jouer.

Là, je ne savais plus quoi dire. Qu'on puisse me trouver chanceuse parce que j'ai un frère, moi qui passe mon temps à crier après lui parce qu'il prend mes affaires et parce qu'il faut toujours que je le traîne avec moi !

— Je veux aller me coucher ! braillait mon frère.

Antoine commençait à s'impatienter.

— Viens-t'en, Chantal. On n'a rien à faire ici.

Mais Chantal a posé son sac d'école par terre et elle a dit :

— Attends. Je vais aller le coucher, ce pauvre petit chou. Viens m'aider, Antoine.

J'ai failli leur barrer le chemin mais je venais d'avoir une idée. Je les ai laissés s'éloigner avec Bertrand. J'avais toujours le mauvais sort dans la main : je l'ai glissé dans le sac d'école de Chantal. Puis je suis allée m'enfermer dans ma chambre. Cette fois, j'étais sûre que le mauvais sort ferait son effet, parce que je l'avais mis par écrit et que j'avais craché par terre.

Un peu plus tard, quand ma mère est rentrée de son travail, elle est allée voir mon frère et elle a dit :

— Cet enfant a la rougeole. Je reconnais les symptômes : Sophie l'a eue quand elle avait cet âge.

# La sorcière princesse

9 NOVEMBRE

Ce matin, Chantal n'était pas à l'école. À la récréation, Antoine est venu me chuchoter à l'oreille :

— Pauvre Chantal ! Elle a la rougeole.

Je me suis dit : « Ça y est ! Mon mauvais sort a fait son effet ! »

Sur le moment, j'étais contente, mais après coup, je me sentais un peu mal à l'aise. Ce n'est pas drôle d'être malade. Je le sais parce que je me suis beaucoup occupée de mon petit frère ces jours derniers. Je lui ai raconté des histoires et j'ai inventé des jeux pour lui. Il faisait tellement pitié avec ses boutons plein la figure... Plus je pensais à Chantal et plus je regrettais de lui avoir jeté un mauvais sort.

Après tout, qu'est-ce qu'elle m'avait fait ? Elle m'avait volé l'amitié d'Antoine, mais peut-être que si moi, j'avais été plus gentille, on aurait pu être amis tous ensemble...

Dans mon coeur, je ne la détestais plus pour vrai, Chantal. D'abord, elle avait rien dit pour la clé. Et elle avait trouvé Hortense dans le sombre cachot et elle l'avait attrapée par la queue même si elle en avait peur. Et puis, elle avait choisi Rita à l'envers pour son nom de sorcière...

En rentrant chez moi, je sentais une sorte d'envie de pleurer sans avoir de larmes. J'aime mieux pleurer avec des larmes : ça fait du bien. Mais quand on pleure sans larmes, on est comme tout serré en dedans. Quand je me sens comme ça, je me cache dans le fond de ma garde-robe et j'attends que ça passe. Je me suis donc assise sur mon vieux jean dans le fond de ma garde-robe et j'ai fermé la porte. Tout à coup, j'ai senti quelque chose de soyeux sous ma main : c'était la robe de princesse. Tiens ! je l'avais complètement oubliée ! Je l'ai sortie de sous mon jean et je l'ai frottée sur mon visage; c'était très doux, presque comme de la peau. Là, je me suis mise à pleurer très fort; je ne me sentais plus aussi serrée en dedans. Je suis sortie de la garde-robe parce que j'avais besoin d'un mouchoir. Après, j'ai essayé la robe de princesse. Tant qu'à faire, j'ai emprunté un peu de maquillage à ma mère : je me suis mis du rose sur les joues et sur les lèvres. J'étais en train de me regarder dans le grand miroir de la salle de bains quand mon petit frère est entré. Il s'est écrié :

— Sophie ! Comme tu es belle !

Il est gentil, des fois, mon petit frère, surtout que cette semaine, il va mieux. Je l'ai embrassé sur les deux joues.

À ce moment-là, on a sonné à la porte. C'était Antoine. Quand il m'a vue, il a dit :

— Sophie ! Comme tu es belle !

C'est drôle ! Parce que mon petit frère et Antoine m'avaient trouvée belle, tout à coup, je me suis sentie belle ! Et j'ai découvert une chose : quand on se sent belle, on se sent bonne en même temps.

— Chantal, elle serait contente de voir comme sa robe te va bien, a dit Antoine.

Ça m'a donné une idée. Je suis allée dans ma chambre et j'ai composé un bon sort pour défaire mon mauvais sort. J'ai écrit :

Va t'en rougeole,
tu n'es pas drôle.
Que Chantal
revienne à l'école.

Puis, j'ai dit à Antoine :

— Tu sais, je regrette d'avoir fait des misères à Chantal... J'aimerais bien aller la visiter. Veux-tu venir avec moi ?

Antoine voulait bien.

— Mais il faudrait lui apporter un cadeau, a-t-il ajouté. C'est bien d'apporter un cadeau quand on va visiter une personne malade.

J'ai pensé : « Quelle bonne idée ! Je vais pouvoir me racheter auprès de Chantal. »

J'ai dit à Antoine :

— Viens, on va choisir le cadeau.

Je me suis mise à fouiller dans mes affaires. J'ai sorti ma boîte aux trésors. C'est là que je place les choses que je ne veux pas que les autres tripotent. J'y ai trouvé mon vieil ourson que je suis trop grande pour jouer avec, un coquillage qu'Antoine m'a donné parce que je le trouvais beau (le coquillage, pas Antoine), une bille transparente avec plein de couleurs dedans, une carte postale du Pérou que mon parrain m'a adressée à mon nom à moi et pas au nom de mes parents, ma collection de cartes de hockey avec les photos de tous les joueurs du Canadien...

Je me suis dit : « Ouais... L'ourson, c'est trop bébé. Le coquillage, je ne peux pas le donner parce qu'Antoine serait vexé que je donne son cadeau. La bille, c'est trop petit. La carte postale, c'est mon nom qu'il y a écrit dessus. La collection de cartes de hockey... »

Antoine était en train de l'examiner :

— Hé ! tu as les photos de tous les joueurs ! qu'il a dit d'un ton admiratif.

Moi, je pensais aux efforts que j'avais mis pour réunir cette collection. J'ai expliqué à Antoine :

— Pour la photo de Claude Lemieux, j'ai ramassé toutes les feuilles mortes dans la cour de madame Dupuis. La photo de Patrick Roy, je l'ai échangée contre une belle bague en plastique rouge que j'avais trouvée dans une boîte de céréales. Pour la photo de Guy Carbonneau, j'ai distribué les journaux pendant une semaine à la place d'Éric...

— Whow ! s'est écrié Antoine. Elle t'a coûté cher ta collection ! Tu ne veux certainement pas t'en défaire. C'est rare, une collection complète comme celle-là !

C'était vrai : pour moi, ma collection de photos de joueurs de hockey, c'était le plus gros trésor de ma boîte aux trésors, celui auquel je tenais le plus. C'est pour ça que j'ai décidé de l'offrir à Chantal. Antoine n'en revenait pas.

— Je serais prêt à attraper la rougeole et même les oreillons pour avoir un cadeau comme celui-là ! s'est-il écrié.

J'ai trouvé du papier d'emballage et de la ficelle dans le tiroir où ma mère ramasse toutes sortes d'affaires qui peuvent toujours servir. J'ai placé mon bon sort sur les cartes et j'ai enveloppé le tout dans un beau papier fleuri.

Après ça, j'ai mis mon manteau par-dessus ma robe de princesse et on est allés chez Chantal. Sa mère nous a laissés entrer dans sa chambre vu qu'on avait déjà eu la rougeole quand on était petits, Antoine et moi.

Chantal était contente de nous voir. Elle était au lit et elle avait le visage tout rouge. Elle a trouvé que la robe de princesse m'allait bien. Elle a soupiré :

— Ce n'est pas juste. Toi, Sophie, tu as tout pour toi...

— Moi ? Je...

— J'aimerais tant être comme toi ! Toi, tu ne ressembles à personne et tu as toujours de bonnes idées.

On ne m'avait jamais dit ça... Et moi qui aurais tant voulu ressembler à Chantal ! Je lui ai dit :

— Moi, j'aimerais bien avoir des beaux cheveux frisés comme les tiens.

Antoine s'est mis à rire. Il a déclaré :

— Vous êtes drôles, les filles ! Si tout le monde ressemblait à tout le monde, on ne reconnaîtrait plus personne.

Il a raison, Antoine : si tout le monde ressemblait à tout le monde, ça serait « plate ». Il vaut mieux rester comme on est; je

pensais dans ma tête, même si on reste comme on est, on n'est pas tout le temps pareil.

J'ai dit à Chantal :

— Toi, tu es une princesse qui est parfois sorcière, et moi, je suis une sorcière qui est un petit peu princesse.

Là, j'ai donné mon cadeau à Chantal. Quand elle a vu les photos des joueurs de hockey, elle est devenue encore plus rouge.

— Oh ! Sophie ! C'est le plus beau cadeau de toute ma rougeole ! qu'elle a dit.

Tout à coup, Antoine s'est écrié :

— Hé ! Chantal ! Tu as le jeu des Supermonstres de l'espace !

Le jeu des Supermonstres de l'espace ! C'est le jeu qui est annoncé à la télévision que ma mère trouve qu'il est bien trop cher et bien trop effrayant ! J'ai demandé :

— On joue une partie ?

Mais la mère de Chantal est arrivée et elle nous a dit :

— Ça suffit pour aujourd'hui.
En rentrant chez moi, la gardienne m'a dit :

— Sophie, tu as reçu une lettre.

Une lettre avec mon nom à moi ! J'étais tout excitée. Je savais bien de qui elle venait cette lettre. J'ai vite ouvert l'enveloppe avec la belle écriture de Bernadette dessus. La lettre disait :

Chère Sophie,

Quel plaisir d'avoir de tes nouvelles ! Dommage que tu ne t'entendes pas bien avec ton instituteur de cette année. Je le connais, Hervé, et je sais que c'est quelqu'un de très compétent. Sais-tu qu'il est spécialiste en sciences naturelles ? Toi qui t'intéresses tellement aux animaux, tu pourrais sûrement discuter de ce sujet avec lui. Rappelle-toi que, si tu veux bien t'entendre avec quelqu'un, il faut que tu fasses ta part. Si tu es gentille avec Hervé, il aura sûrement envie d'être gentil avec toi. Continue à cultiver tes talents : tu as beaucoup d'imagination et beaucoup d'esprit d'entreprise. Il faut utiliser tes possibilités pour faire des bons coups, pas des mauvais coups.

*Bernadette*

Ton ancienne maîtresse
qui pense à toi avec amitié,

P.-S. Attention à ton orthographe : il faut écrire « je m'ennuie » et non pas « je m'en nuit ».

J'ai fait lire la lettre à Antoine.

— C'est vrai qu'Hervé, il en connaît un bout sur les animaux, a dit Antoine. Et c'est vrai que toi, Sophie, tu es une fille pas ordinaire... Tu es une bonne cheffe pour notre bande. Tiens ! j'ai une idée : Si on changeait le nom de « La bande de la rue Monplaisir » on pourrait l'appeler « La bande à Sophie »... et Chantal pourrait en faire partie.

Là, j'ai rougi de plaisir. J'ai répondu :

— Quelle bonne idée ! J'ai hâte que Chantal soit tout à fait guérie pour qu'elle se joigne à notre bande et pour que nous allions jouer avec son jeu électronique des Super-monstres de l'espace.

— En attendant, a dit Antoine, si on allait jouer avec Hortense ?

Je crois qu'on n'a pas fini d'entendre parler de la bande à Sophie...

# Table des matières

Chère lectrice,

Cher lecteur,

Bienvenue dans le club des enthousiastes de la collection **Pour lire avec toi**. Si tu as aimé l'histoire que tu viens de lire, tu auras certainement envie d'en découvrir d'autres. Pour te mettre en appétit, voici des extraits de quelques romans de la même collection.

Je te rappelle que le nombre de petits coeurs augmente avec la difficulté du texte.

♥     : facile

♥♥    : moyen

♥♥ ♥ : plus difficile

Grâce aux petits coeurs, quel que soit ton âge, tu pourras choisir tes livres selon tes goûts et tes aptitudes à la lecture.

Les auteurs et les illustrateurs de la collection **Pour lire avec toi** seraient heureux de connaître tes opinions concernant leurs histoires et leurs dessins. Écris-nous à l'adresse au bas de la page.

Bonne lecture!

La directrice de la collection,

Henriette Major

Éditions Héritage Inc.
300, avenue Arran
Saint-Lambert (Québec)
J4R 1K5

# La Sorcière
# et la princesse ♥♥

*par Henriette Major*

## Sophie à l'école

7 octobre

Cette année, je ne vais pas à mon ancienne école parce que j'ai déménagé. Je vais à ma nouvelle école. Je l'aime moins que mon ancienne parce que ma nouvelle, elle est trop grande et il y a trop de monde dedans.

Comme de raison, je n'ai pas mon ancienne maîtresse de l'an dernier, Bernadette qu'elle s'appelait. Si j'allais à mon ancienne école, je n'aurais pas Bernadette comme maîtresse non plus, vu que j'ai monté de classe, mais je pourrais lui parler pendant les récréations et aller la voir après la classe et même lui porter ses livres jusqu'à son auto. Mais je ne peux même pas l'apercevoir de loin parce que mon ancienne école est dans un autre quartier.

Cette année, ma maîtresse d'école, c'est un maître. Il s'appelle Hervé. Il a des lunettes et il est grand et maigre. Ma mère dit :

— Dis plutôt qu'il est mince : c'est plus poli.

Il est maigre pareil. Derrière ses lunettes, ses yeux sont tout flous. Ça fait que tu n'es jamais sûre si c'est bien toi qu'il regarde. Il n'a pas des beaux yeux verts comme Bernadette : il a des yeux gris sale. Il n'a pas des beaux cheveux roux et fous comme ceux de Bernadette. Il a des cheveux châtains tout raides. Hervé, il nous appelle «les amis», même si on n'est pas ses amis. Bernadette, elle nous appelait «les élèves», mais on était ses amis. Peut-être que je pourrais lui téléphoner, à Bernadette… mais je n'ai pas son numéro de téléphone. Peut-être que je pourrais lui écrire… mais j'ai peur de faire des fautes.

Ce matin, quand la cloche de l'école a sonné, je me suis mise en rang avec ma classe. Je voulais faire comprendre à Lucie et à Éric dans l'autre rangée qu'il fallait se retrouver à la récréation : alors, j'ai fait le signe de reconnaissance de la bande.

— Sophie ! Qu'est-ce que c'est que ces grimaces ? a dit Hervé. Va te placer à la queue.

J'ai essayé de lui expliquer que c'était pas des grimaces, mais il ne m'a pas laissée parler. Bernadette, elle, elle m'aurait laissée parler.

# Sophie et le monstre aux grands pieds ♥♥

*par Henriette Major*

## CHAPITRE 7
## Les traces du monstre

Le lundi matin, j'avais rendez-vous avec Antoine sur les pentes du Mont-Royal pour préparer la course au trésor. J'ai invité ma grand-mère à nous accompagner. Elle a déclaré :

— J'aurais bien aimé te donner un coup de main, mais Adrien doit venir réparer la machine à laver ce matin. Je ne peux pas m'absenter.

Je suis donc partie seule pour rejoindre Antoine. Il avait neigé durant la nuit. Antoine et moi, on était contents, on pourrait creuser dans la neige pour y placer nos indices. On aurait pu les cacher le long de la route déblayée qui mène au sommet, mais c'était trop facile. On a plutôt décidé de suivre la piste de ski de fond et de raquette qui passe à travers les arbres. On n'avançait pas très vite car, à certains endroits, on enfonçait dans la neige jusqu'aux genoux.

Au début, le terrain était assez plat. On suivait de près les marques de skis et de raquettes. On avait déjà caché deux indices quand tout à coup, Antoine s'est écrié :

— Hé ! Sophie ! Viens ici ! Je vois quelque chose de bizarre !

Je me suis approchée et j'ai aperçu des traces ovales ; elles avaient à peu près la forme d'un pied, d'un très grand pied avec des petits creux à la place des orteils et du talon. Antoine et moi, on a d'abord été muets de surprise.

— Qui a bien pu laisser des traces pareilles ?... a murmuré Antoine. Ça ne ressemble à rien que je connais.

— Je sais! ai-je affirmé, très excitée: c'est l'Abominable Homme des Neiges!

— Qu'est-ce que tu racontes? a répondu Antoine. Comment un homme peut-il être beau et minable en même temps?

— Tu chercheras le mot abominable au dictionnaire, espèce d'abominable ignorant. L'Abominable Homme des Neiges, c'est un géant poilu qui vit dans les montagnes et qui laisse des traces dans la neige avec ses grands pieds nus. J'ai lu ça dans un livre sur les monstres.

# Le pays
# du papier peint ♥♥

*par Vincent Lauzon*

## CHAPITRE 3
## Le Chevalier solitaire

Ce soir-là, au milieu d'une grande clairière bordée de cèdres parfumés, Marie-Aude mangeait des guimauves grillées en compagnie de la licorne zébrée et du dragon aux yeux dorés, celui-là même qui l'avait tant effrayée lors de sa première visite. Ce dragon n'était pas n'importe quel dragon, comme il se plaisait à le faire remarquer le plus souvent possible : il venait d'une très vieille, très grande et très noble famille de dragons et il en était plutôt fier. Il s'appelait Isidore de la Flammèche.

Isidore était couché nonchalamment dans les fougères et à chaque expiration, ses narines laissaient échapper d'écarlates éclats enflammés qui montaient en crépitant dans le ciel nocturne. Marie-Aude et la licorne n'avaient qu'à tenir leurs guimauves au-dessus du nez du dragon et, en quelques secondes, les friandises devenaient délicieusement dorées. La petite fille utilisait une longue branche de chêne alors que la licorne installait carrément ses guimauves au bout de sa corne. L'air doux et léger ainsi que la lumière tamisée de la lune de papier peint rendaient l'atmosphère merveilleusement calme et agréable.

— Hé, Marie-Aude, dit Isidore en bâillant un peu, cela fait trois guimauves que tu manges sans m'en donner une seule. C'est pas juste : c'est tout de même moi qui les prépare, vos guimauves, non ?

La petite fille se mit à rire et donna une guimauve au dragon bougonneur. Isidore l'engloutit d'une seule bouchée et se lécha les babines, découvrant un instant ses crocs féroces. Marie-Aude frissonna. Elle était bien contente qu'Isidore soit son copain : avec des dents pareilles, elle n'aurait pas voulu l'avoir pour ennemi.

— Dis donc, Isidore, demanda-t-elle entre deux bouchées, je n'ai pas encore rencontré ton copain le Chevalier. Il m'intrigue. Crois-tu que l'on pourrait lui rendre visite ce soir ?

Le dragon parut réfléchir un moment.

— Bien sûr, déclara-t-il enfin. Cela te plairait, licorne ?

La licorne hennit et s'ébroua.

— Moi, je vous suis, dit-elle avec une trace de tristesse dans la voix. Vous êtes mes seuls amis... les autres licornes ne m'ont pas encore adressé la parole à cause de... de... oh, vous savez bien...

# La chasse au trésor ♥♥

*par Mario Audet*

CHAPITRE 4
## Le troisième message

La montée en funiculaire se fait sans histoires. Arrivées sur la terrasse Dufferin, Isabelle et Catherine relisent la dernière partie du message :

*Là, un ange jouant de la trompette*
*Vous invitera à monter dans sa barque.*

Il leur est très facile de repérer l'ange du message. Il se trouve au pied de la statue de Samuel de Champlain qui tourne le dos à la sortie du funiculaire. L'ange trompettiste se tient debout dans sa barque de bronze. Catherine escalade le socle de la statue jusqu'à la hauteur de la barque. Là, elle découvre un autre message qu'elle exhibe victorieusement. D'un seul bond, elle saute en bas, anxieuse de connaître la suite de l'aventure. Le message dit :

*Bravo, vous êtes très habiles ! Cependant, vous n'êtes pas au bout de vos peines. Il vous reste un autre message à découvrir avant de franchir la prochaine étape, la plus décisive.*

*Rendez-vous au séminaire de Québec en passant par la rue où les murs sont décorés de peintures. C'est le plus beau et le plus court chemin.*

*Là, vous entrerez par la porte qui s'ouvre sur l'endroit rempli d'objets du passé appartenant aux Beaux-Arts, aux Sciences et aux Lettres.*

*Montez 65 marches et allez rendre visite à celui qui dort depuis plus de 3 000 ans. À vingt-cinq pas de là, vous trouverez trois statues d'or. Elles ont un message pour vous, caché derrière leur autel.*

*Mais attention! MÉFIEZ-VOUS DE L'OEIL SONORE.*

Ouf! voilà un message qui en dit bien long et qui, en même temps, crée bien du mystère. Le premier réflexe des deux gamines est de demander de l'aide à Mario, mais rapidement elles jugent que ça ne vaut pas la peine de perdre de précieux points de chance. Elles connaissent bien les environs. Elles se dirigent donc allègrement vers la rue du Trésor, celle où les murs des maisons sont tapissés d'oeuvres d'art.

Sans ralentir leur allure, elles regardent les dessins et les tableaux qui font la convoitise des touristes en quête d'un élégant souvenir du Vieux-Québec. Bientôt, le trio se retrouve face à la basilique Notre-Dame adossée au séminaire de Québec.

# Le petit chien perdu ♥

*par Jacques Trudel*

## CHAPITRE 3
## À la recherche de Polux

Après une bonne nuit de sommeil, Yanik et Stéphane se lèvent très tôt : leur enquête ne peut attendre. Ils avalent rapidement leur petit déjeuner. Leur mère les regarde d'un air étonné.

— Vous êtes bien pressés ce matin ?

— On a un travail important à faire ! répond Yanik.

— Un travail ?

— Oui, un travail de détective !

— Et d'assistant-détective ! ajoute Stéphane.

— Ah oui ?

— Il faut retrouver le chien d'Éveline Latour, explique Yanik. Il a disparu.

— Je vous souhaite bonne chance !

Yanik termine son repas. Il va ensuite chercher son sac à dos et y glisse ses instruments de travail : un carnet de notes, un crayon et une petite loupe. Ça peut toujours servir !

— Tu viens, Stéphane ? ordonne-t-il.

Stéphane court prendre son sac, presque identique. Il le bourre de provisions : trois pommes, une banane et, en cas d'urgence, un petit gâteau au caramel. Yanik et Séphane sont enfin prêts à commencer leur enquête.

— Où allons-nous ? demande ce dernier.

La veille, avant de s'endormir, Yanik a préparé un plan. La première chose à faire est d'aller questionner Éveline Latour. Il faut savoir exactement comment son chien a disparu.

— On va chez Éveline.

Stéphane s'inquiète un peu.

— Elle ne nous a pas demandé de retrouver Polux...

Yanik marche d'un pas rapide.

— Elle sera contente qu'on s'en occupe. Après tout, on est les meilleurs détectives du quartier!

Stéphane est rassuré.

— C'est vrai. On est les meilleurs. On est aussi les seuls, hein, Yanik?

— Ouais...

— En tout cas, on a une cabane avec une affiche.

Yanik marche toujours aussi vite. Il écoute distraitement son assistant.

— Et puis, on a nos casquettes. Elle sera bien obligée de nous prendre au sérieux!

Stéphane trouve que Yanik a parfaitement raison.

— Je suis content d'être ton assistant, Yanik!

Yanik s'arrête net.

— Appelle-moi «inspecteur»! Inspecteur Yanik.

# Les mémoires
# d'une sorcière ♥♥♥

*par Suzanne Julien*

## CHAPITRE 1
## La naissance d'une sorcière

Cette nuit-là, il pleuvait. Il pleuvait très, très fort. On aurait dit que de méchants petits elfes s'amusaient à lancer des cailloux sur les toits des maisons. Le bruit assourdissant de la pluie avait fait fuir tous les êtres vivants, hommes ou bêtes, au fond de leur demeure.

De loin, on pouvait entendre le tonnerre et apercevoir les lueurs des éclairs. L'orage se rapprochait. Quel beau temps, il faisait cette nuit-là! C'était vraiment un temps idéal pour l'arrivée d'une nouvelle petite sorcière.

— C'est de bon augure, déclara ma grand-tante, la méchante fée Esméralda.

Elle était ravie de pouvoir assister à ma naissance. Mon père, l'enchanteur Malin, récitait des incantations pour qu'en naissant je possède toutes les qualités d'une sorcière: méchante, laide et égoïste. Ma mère, la fée Malice, avait surtout hâte que ce soit fini...

J'accomplis alors ma première mauvaise action: faire attendre ma mère, mon père et ma grand-tante toute la nuit. Au moment où, lassés d'attendre, ils s'installaient pour dormir, je me décidai à naître.

Je pris tout le monde par surprise: Esméralda préparait son lit, mon père rangeait ses grimoires en bâillant et ma mère ronflait déjà! Je poussai alors d'horribles cris, étouffés par le grondement du tonnerre. Longtemps, j'ai cru que c'était moi qui avais causé ce tintamarre. Mais en tentant de recommencer par la suite, je dus me rendre à l'évidence : je n'étais pour rien dans le fracas de l'orage.

Mon arrivée passa donc inaperçue. Je fis alors comme tous les bébés naissants : je pleurai et hurlai sans arrêt. Et juste au moment où j'allais me pâmer, tout le monde se précipita sur moi.

— Il faut l'emmailloter, disait ma mère.

— Il faut lui réciter des formules magiques, lançait mon père.

— Je veux lui faire cadeau de mes incantations les plus maléfiques, s'exclamait ma grand-tante.

À vouloir me caresser tous en même temps, ils me brassaient, me tiraillaient, m'écartelaient. Je compris alors que je n'étais pas tombée dans une famille ordinaire. Leurs touchantes marques d'affection durèrent jusqu'au petit matin. Quand le soleil se leva, mon père déclara :

— Il faut lui choisir un nom.

# Le monstre
# de poussière ♥

*par Richard Riewer, adaptation Henriette Major*

## CHAPITRE 1
## Un monstre sous le lit

C'est l'heure de se coucher. Laurent jette un coup d'oeil prudent dans sa chambre. Rien ne bouge. Pas un bruit. Il se glisse jusqu'à son lit tout propre aux couvertures bien tirées : Ted l'ourson, les yeux brillants, est assis sur l'oreiller, prêt à se coucher lui aussi. Laurent met son pyjama et s'assoit près de Ted pour l'embrasser et lui souhaiter bonne nuit. Tout à coup, il entend un bruit étrange venant de dessous le lit, comme le murmure des feuilles dans le vent. Le bruissement devient de plus en plus fort. En même temps, des flocons de poussière roulent sur le parquet. Laurent se penche et soulève doucement le couvre-lit. Il aperçoit deux yeux pâles qui brillent dans le noir.

— Hum... excuse-moi, je n'ai fait qu'éternuer, dit une voix enrouée sous le lit. Je ne voulais pas te déranger...

— Il y a un monstre là sous mon lit ! murmure Laurent, tout inquiet. Que vais-je faire ?

— J'espère que je ne t'ai pas fait peur, dit le monstre.

«Il a l'air gentil», pense Laurent.

«J'aimerais bien faire la connaissance de ce garçon», se dit le monstre.

Après un moment de réflexion, Laurent décide de prendre l'initiative.

— Tu devrais sortir de là, chuchote-t-il. N'aie pas peur, montre-toi. Je veux seulement te parler...

— Eh bien, puisque tu insistes, je vais venir, réplique le monstre en adoucissant la voix.

Il sort de sa cachette en rampant. Aussitôt, une épaisse poussière se répand dans la pièce, dansant dans la pâle lumière de la lune. La poussière est si épaisse que Laurent et le monstre ont peine à se voir.

— Qui es-tu ? demande Laurent.

— Je suis un monstre de poussière, répond le monstre.

« Voilà qui est encore plus drôle qu'un combat d'oreillers », songe Laurent.

— Ted semble avoir disparu, dit-il à haute voix.

— Peut-être que je lui fais peur, remarque le monstre de poussière.

— Les oursons en peluche n'ont jamais peur et ils ne sont jamais tristes, assure Laurent. Ils sourient tout le temps.

ACHEVÉ D'IMPRIMER
EN SEPTEMBRE 1988
SUR LES PRESSES DE
PAYETTE & SIMMS INC.
À SAINT-LAMBERT, P.Q.